널린 게 고민인데 책 제목도 고민이야

널린 게 고민인데 책 제목도 고민이야

서민하, 서예은, 김리원

목차

날파리를 위하여

서민하

글적글적.

내가 수업 시간에 낙서를 하는 건

당연히 수업이 너어무 지루하거나, 교과 내용이 너어무 어렵거나, 손이 너어무 심심해서 이기도 하겠지만,

실은 담아 두고 싶은 게 많아서다.

햇살이 깃든 이 교실과, 쉬는 시간을 기다리는 친구들의 간절함과, 열정적인 선생님의 목소리, 그것들을 담고 있는 이 순간이 나에겐 너무나도 소중하기 때문이다.

할 수만 있다면 삶의 모든 순간들을 기록하고 싶다. 서툴지만 사랑스런 나만의 언어들로. 그게 모여 심지어 책이라니, 감개가 무량하다!

내가 동경하지 않는 이유

어쩌면 동경이란,
잘 모르기에 감히 할 수 있는 일인 것 같다는
생각이 든다.
어떤 자리가 누군가에겐 행복의 종착지라면,
또 다른 누군가에게는 고통의 늪일 수 있고.
겪어보지 않으면 알 수 없고,
겪고서도 무디어져 다시 어리석음을 반복하는
한낱 인간이라,
우리는 손짓 한 번에 시야를 끊고
눈짓 한 번에 다시 일어날 수 있는 것 같다.

필통

새학기다.
우린 모두 새삥이다.

 적어도 새삥인 동안은 반짝반짝 빛나겠지. 샤프이든 볼펜이든 자이든 지우개이든... 나름 최고의 매력을 발하며 여기에 모였다. 볼펜보다 샤프가 낫다든가 자보다 지우개가 낫다든가 이런 비교는 바보 같은 짓이다. 각자의 역할이 있으므로. 그저 서로의 부족함을 채우고 거들고 도우면서 완벽한 필통이 되는 거다.

 시간이 흐르고
 매력은 흐려지고
 닳아지고 때도 묻겠지만,
 닳은 만큼 익숙해져서
 눈빛만으로도 필이 통하는
 필통이 되자.
 우리 그런 필통이 되자.

푸른 하늘

누구에게 어떤 절망이 다가오든 간에 하늘은 언제나 평온하다. 방관인지, 그들에 대한 신뢰인지, 아니면 그들을 안심시키려는 노력인건지. 때에 따라 다르게 느껴지겠지만...

오늘은 하늘을 보며 괜찮아, 별일 아닐 거야.라고 말해주는 것만 같은 하늘의 포용적 푸르름에, 가장 먼저 나를 도닥여준다.

ㄱ부터 ㅎ까지, 가하

23. 10. 09

가을이다.
나무는 옷을 갈아입고
다람쥐는
라면 먹고 잔 다음 날 내 볼따구처럼
마구 볼을 부풀려가며
바로 다가올 다음 계절을 준비한다.
사늘한 바람마저
아름다운 이 계절을 속삭여도
자신만의 꿈을 찾지 못한 우리는
차마
카~ 소리 나는 하늘 한 번
타는 듯한 단풍 한번 쳐다보지 못하고
파묻은 도토리를 찾는 다람쥐처럼
하염없이 헤매고 있다.

여긴 어딘가 나는 누군가

전환점이 없어도 잊히는 것들이 있다.
졸업해서 떠나고, 싸워서 안보고, 다음 달이 되어 달력
을 찢고,
그렇게 원인과 결과가 있는 것이 아닌.
시간이 지나서, 나도 모르게, 저절로.
우리는 자라야 하고, 나아가야 하니까.
자연스럽게 성장한다는 것에 안심이 되기도 하지만, 가
끔 부자연스러운 나를 발견할 땐 세상이 멈추는 것만
같다.
정신을 차려보니 원점에서 너무나도 멀리 와 있었다.

유리테이프

나는 유리테이프가 좋다.

정확히는 레버를 돌리면 까만 플라스틱 톱니바퀴에 양 끝이 붙은 채 팽팽하게 나오는 그것.

일정한 간격으로 깔끔하게 떨어져 건네주는 그 친절함이 좋고,

붙여도 티가 나지 않는 투명함이 좋고,

무엇이든 마침내 이어버리는 붙임성이 좋다.

그 붙임성으로 언제나 나를 유혹하고,

나는 가차 없이 현혹된다.

어쩌면 그것은 꼭 나 같다.

눈에 잘 띄지 않지만 빛을 받으면 잠깐 반짝이기도 하는, 딱 붙어있어도 누군가 떼어내어도 누구도 한 번에 알아채지 못하는,

약간의 찐득함을 살짝 남기고 사라지는 그런.

그리고 닮아가고 싶다.

이어주고 붙여주는 그 다정함.

그렇게 다정한 사람이고 싶다.

미련 없이 안녕하기

순간은 지나가길 바라도
시간은 머물러 주었으면 좋겠다.
무슨 순간은 이렇게 느린지
한걸음 나와서 본 시간은 뭐 이리 빠른 건지.
붙잡고 싶어도, 붙잡는 긴 시간이 힘들어서
짧아질 걸 아는 그 아쉬운 시간들을
조용히 놓아준다.

안녕~~~

to. 3학년 인도진

1년 동안 수고했어.
  평생 같이 키즈카페에 놀러 다니고,
어린이 미술관에 가고. 아쿠아리움에서 가오리
한 마리에 인생이 행복해지던,
평생 함께 그럴 것 같았던
나의 언니에게.
  몇 달에 한 번 볼까 말까 해서 매일 애틋했던 언니
와 같은 학교에 다니게 되고.
언제나 여집합이던 우리에게 처음으로 교집합이 생긴
올해지.
  우리는 언제 이렇게 커버렸을까.
  잘하라고 꼭 할 수 있을 거라고 해주고 싶은데, 그
말조차 부담일까 조심스러워지고, 너무 부담 갖지 말라
고 말해주고 싶은데, 그것조차 안 좋을까 꺼리게 되는
나의 마음.
  그냥 아무 탈 없고 미련 없이 운빨 가득한 하루이길
마음 깊이 기도하고 응원하는 중.

  19년 동안 크느라 수고했어!

나의 이년아

초등학생 때 도덕 선생님이 해주신 말씀이 있다. 불교에서는 지금 우리가 잠깐 스쳐 지나가는 모든 사람을 다 전생에 인연으로 여긴다고. 지하철의 노숙자, 중고 거래에서 만난 판매자, 하다못해 등굣길에 1초 스친 사람과도. 그렇게 스쳐 지나가는 인연도 그러한데, 지금 매일 얼굴을 마주하는 우리의 친구들과 나는 얼마나 깊은 인연이겠냐고. 이런 생각을 하면 스치는 사람들도 한 번 더 돌아보게 되고, 곁에 머무르는 많은 인연들이야 말할 것도 없이 소중히 여기게 된다고 하셨다.

그 이야기를 들은 후로 나는 한 사람 한 사람의 이야기를 생각해 보게 되었다. 우리가 어떤 인연이었을지, 꼭 전생이 아니더라도 우리는 어떤 인연일지, 생각하면서 조금 더 그 사람을 이해하려고 노력한다. 그리고 절대 그러지 못했던 나였지만 먼저 사람들에게 인사를 건넬 수 있었고, 사이가 나빠진 친구에게 다시 다가가 먼저 말을 꺼낼 용기도 생겼다. 그리고 그런 내가 점점 좋아졌다.

자존감을 높이는 일이란 어쩌면 인간에 대한 이해에서 시작되는 것인가 보다. 나를 스쳐 가는 모든 인연에게 관심을 갖고 이해하고 사랑하게 되는 일.

언제나 많이 어렵지만, 오늘도 좀 더 용기를 내본다.

날파리를 위하여

아홉 살 때 내 친할머니가 돌아가셨다. 어느 날 자고 일어났더니 엄마가 낮은 목소리로

"할머니 돌아가셨어. 어서 준비해."라고 말했고, 나는 내가 시간이 늦은 것을 알면서도 늦게까지 일어나지 않아 화가 나서 하는 말이라고 생각했다. 그런 생각 자체가 내가 많이 어렸구나, 생각하게 만든다. 어떻게 병원까지 갔는지 기억나지 않지만, 도착했을 때 고모들이 흰 천에 덮인 할머니를 둘러싸고 울고 계셨다. 내가 온 것을 확인하신 막내 고모가 나를 데려가 할머니 목에 손을 대 주시면서, "따뜻하지?"라고 울음 섞인 목소리로 말씀하셨던 것이 기억에 남는다. 생각해 보면, 그때 아빠에 대한 기억은 없다. 그때 아빠가 어떤 모습으로 슬픔을 감내하고 있었을 지 아직 관심가지지 못했던 나라서 많이 미안하다.

한동안 아빠는 그렇게 좋아하던 TV도 끊었다. 쇼파에 그냥 앉아있었던 것도 같고, 방에 혼자 있었던 것도 같고. 내가 제일 마음 아팠던 건, 아빠가 세수하면서 우는 걸 봤을 때다. 그때 아빠는 한 번도 내 앞에서 운 적이 없었다. 그래서 내가 아빠를 더 강인한 사람으로

여겨 아빠는 괜찮을 것이라 생각했던 것이 분명하다. 아빠 안에도 있었을 아홉 살 남자아이를, 나는 몰라봤다.

할머니가 돌아가시기 일주일 전쯤이었을 것이다. 그때 즈음, 가족들은 모두 할머니가 곧 떠나실 것이라는 것을 알고 있었다. 한명씩 돌아가면서 할머니께 인사를 전했다. 우리의 차례가 되자, 엄마가 내 손을 잡고 할머니 앞으로 가서 내가 되어 나의 말들을 대신 전해주었다.

"할머니 안녕히 가세요. 저 건강하게 잘 클게요. 하늘나라 천국에서 봬요."

이런 말들이었다. 울고 있던 가족들과, 가만히 바라보았던 할머니의 얼굴이 아직 떠오른다.

너 인사할 때, 할머니 우셨어. 엄마의 목소리를 생각하니, 감긴 눈 사이로 흘러내리던 할머니의 눈물이 기억나는 것 같다.

그날 밤, 나는 생각해 본 적 없던 할머니의 죽음이 눈앞으로 불쑥 다가왔다는 두려움에 아빠의 등에 업혀 엉엉 울었다. 아빠는 병실 복도를 말없이 걸어 다니며 토닥토닥 나를 달래주었다. 등에 업힌 나보다 그때 아빠의 마음은 더 무거웠을 것이다. 아빠는 더 큰 슬픔을 벌써 한아름 끌어안고 있었을 테니 말이다.

그리고나서 할머니는 한순간 좋아지셨지만, 얼마 지나지 않아 돌아가셨다.

정확히 8년 전, 아홉 살 여름방학이었다.

그리고 바로 장례식이 시작되었다.

아직 초등학생이었던 나와 내 나이 또래 사촌들은 금방 웃음을 되찾았다. 뭐가 그리 즐거웠는지, 까만 양복들 사이로 유일히 알록달록했던 우리는 아무것도 모르는 그저 열 살 남짓의 어린이들이었다. 3일간 계속되었던 장례식을 치르면서 나는 사촌 언니, 동생의 할머니 집에 가서 하룻밤을 자기도 했고 (자다 깨서 문득 무서워져서 울었다. 그때 입었던 구멍 난 잠옷, 사촌동생의 칫솔, 그 할머니의 토닥거림이 생각난다.), 다음 날 사촌 언니 집에서 잠옷으로 받았던 나에게는 너무 컸던 원피스를 입기도 했고.

엄마는 "할머니가 너 학교 잘 다니라고 방학 때 돌아가셨나보다." 라고 말했고, 엄마의 말대로 할머니의 배려 덕에 별다른 차질 없이 일상으로 돌아갈 수 있었다.

몇 주 뒤, 다니던 미술학원을 빠지고 할머니가 계시던 참살이 요양원에 갔다. 경주였는데, 할머니가 살아 계실 때도 자주 갔으며 아빠 차가 아닌 기차를 타고 여행처럼 다녀오기도 하던 곳이었다. 할머니가 금방이라도 달려 나와 주실 것 같았던 황량한 방, 마당 같은 것이 기억난다. 그때 생각했다.

'나는 이제 더 이상 "할머니 엔돌핀!"이라는 말을 들으며 뽀뽀를 받을 수 없겠구나.'

그 때 재생됐던 할머니 목소리가 이제는 희미하다.

할머니가 돌아가신 지 8년이 된 지금, 아빠 차를 타고 집에 가며 아빠 폰의 노래를 듣다가 다음 곡으로 할머니 목소리가 재생되는 것을 종종 듣는다. 전화통화 녹음본인 것 같은데, 들을 때마다 마음이 아프다. 8년 동안 아빠는 얼마나 엄마가 그리웠을까? 5남매로 자라면서 언제나 사랑이 고팠던 아빠는, 사십년 전 아빠의 전부였을 할머니를 잃고 비어버린 마음으로 어떻게 나를 한없이 끌어안아 줄 수 있었을까? 우리 아빠가 새삼 정말 어른이라는 생각이 든다.

우리 가족은 종종 추모 공원에 할머니를 뵈러 간다. 엄마는 할머니 사진을 더 환한 걸로 바꿔드리고 싶다며 사진을 어루만지고, 아빠는 엄마의 말에 동의하며 지긋이 유골함을 바라보고만 있다. 8년이 지나 더 이상 누군가의 도움 없이도 그 작은 칸의 할머니와 눈맞춤을 할 수 있게 된 나는, 할머니를 보면서 조용히 모두의 그리움을 받아들이려고 노력한다. 누구보다 우리를 안아주고 싶으실 할머니의, 그리고 눈물을 참는 아빠의, 엄마의 그리움을, 이 공간에 있을 많은 그리움들을,

그렇게 조용히 감내하다 보면, 너무너무 사랑하는 모두의 마음이 와 닿는다. 이렇게 많은 그리움을 가득 안고도 사람들이 행복할 수 있어 다행이다, 생각하면서도, 못내 쓸쓸한 기분이 든다.

많이 슬퍼했을 아빠의 마음을 제대로 느끼기까지 8년이 걸린 것 같다. 아빠의 마음을 능숙하게 어루만져주려면, 난 또 얼마나 자라야할까.

오늘은 왠지 아빠를 안아주고 싶다. 과일에 붙은 날파리 한 마리에게조차 따뜻하셨던, 우리할머니처럼 말이다.

냅둬라, 가들도, 묵고 살아야지.

말 한 마디의 힘

말 한마디는 생각보다 큰 변화를 일으킨다.
어디엔가 누군가가
'이 글을 보신 분은 평생 행복하실 겁니다.'라고
가볍게 적어둔 글을 보는 나의 마음은 한결 따뜻하고
가벼워진다.
그저 특별하지 않은 누군가의 한마디에
그저 특별하지 않은 내가 미소 짓게 된다는 것은
꽤나 특별한 일인 것 같다.
특별하지 않은 나도 행복한 특별함을 전해주기
위해 오늘도 한마디 한마디에 따듯함을 담아보아야겠
다.

여기 글을 보신 분도 평생 행복하실 겁니다!

삐야기

서예은

글적글적.

열일곱, 알과 닭의 사이 아직 미성숙하고 보송보송한 병아리인 나는 곧 성인이 된다.

나이가 들수록 시간은 점점 빨라진다는 말이 있다. 어릴 땐 시간은 누구에게나 똑같이 주어지는 것 아닌가 했다. 하지만 평생 어린애일 줄로만 알았던 내가 눈 깜빡할 사이에 고딩이 되니 어른들이 하는 말이 다 이해되었다.

멈추지 않는 시간 속 뭔가 하지 않으면 다시 정신을 차렸을 때 난 그저 그런 어른이 되어있을 것 같았다. 마치 군계일학 속의 닭처럼 말이다.

개구리는 올챙이적 자신을 생각하지 못하지만, 남다른 닭이 될 나는 병아리 적 글을 보며 과거를 발판삼아 앞으로 나아갈 것이다.

그렇게 한 걸음, 한 걸음 닭장에서 나와 언젠가 너른 들판을 향해 달려나가는 멋진 어른이 될 것이다. 누구보다 먼저, 우렁차게 아침을 깨우는 닭이 될 것이다.

머지않아 훌륭한 어른이 될 우리의 일상을 함께 보지 않겠는가

삐야기

작아도 괜찮다
걷다 넘어져도 괜찮다
아직 익숙하지 않으니

빨갛지 않아도 괜찮다
아침을 깨우지 않아도 괜찮다
나는 병아리이니

노란 털뭉치 같아도 괜찮다
삐약거려도 괜찮다
닭이 되는 과정일뿐이니

언젠가
아침을 깨우며
새로운 병아리를 맞이할테니

고마움

나를 키우시고
나의 힘이 되시는
고마운 분들이 계신다

대가 없는 그 사랑이
나를 채운다
날 살게 한다

고마워요 한 마디로는
부족하기에

말로는 다 표현 못하는

고마움을
전해본다

사랑을
전해본다

웃음꽃

아직 추위가 가시지 않은 봄에
벚꽃이 핀다

나른한 봄에
개나리가 핀다

우리 학교엔
학생들의 웃음꽃이 핀다

어느 꽃보다도 밝게
어느 꽃보다도 아름답게

하하호호 하며
우리는 웃음꽃을 피운다

언제나 그렇듯
우리는 웃음꽃을 피운다

봄인가보다

아침 바람은 쌀쌀하고
점심햇살은 따스하고

벚꽃은 피고
도토리 나무에는
떡잎이 났지만

차디찬 바람이
교복 속에 스며든다

바람이 너무 차가워
재채기를 한다

아 겨울인가
봄인가

꽃이 피는 걸 보니
봄인가보다

오늘도 수고한 그대에게

그대여 오늘도 수고했어요
힘든 일들이 많았겠지요
나는 당신을 완전히
이해하지는 못해요

하지만 함께 있어줄게요
당신을 위로해줄게요

인생이란 게 원래 그런 걸 거예요
힘듦 속에 행복이 있는 것이겠지요

그러니 실망하지 말아요
너무 아파하지 말아요

오늘 하루 힘들었던 그대에게
심심한 위로를 보내보아요

오늘도 수고한 그대에게

이게 모고?

이게 모고?
완전히 내 생각과 다르다

이게 뭐고?
점수가 말이 아니다

순간 이런 생각이 든다
나 대학교 갈 수 있나?

나는 항상 하는 다짐을 한다
다음엔 잘해야지
다음엔 잘해야지

그런데 이러다가는
다음이 없을 것 같다

그래서 나는 다른 다짐을 한다
지금부터 해야해
지금밖에 시간이 없어

비

비가 와요
주룩주룩 비가 와요
해는 어딜 갔는지
몽글몽글 먹구름들이 찾아왔어요

창문너머로
노오란 노을이 아닌
방울방울 창문에 맺힌
예쁜 물방울들이 보여요

찝찝한 비이지만
우리를 살게 해요

쓸모없어 보이지만
아주 고마운 존재에요
없으면 안되는 존재에요

당신도 그래요

파전

비 오는 날

파전 한 점에
달래 무침 얹고
우유 가득 따르면
그게 행복이 아닐까

엄마표 특제 마늘쫑 간장 소스에
마늘과 청량고추를 넣고
계란과 파, 고기를
가득 넣은 파전을 찍으면
그게 행복이 아닐까

파릇파릇 제철 맞은 달래를
참기름과 초고추장에 버무려
향긋한 내음을 느끼며
한 입 크게 먹는 것
그게 행복이 아닐까

할머니께서 주신 아삭아삭한 오이소박이에
시원매콤한 김치를 얹고
그 김치들을 파전으로 돌돌 마는 것
그게 행복이 아닐까

이 모든 것을 합쳐 한 입에 넣고
맛있게 먹는 것
그게 행복이 아닐까
비 오는 날의 행복이 아닐까

달은 밝고

반짝이는 밤하늘
달은 밝고
나는 하염없이
걱정을 한다

달은 밝고
나는 달을 보고
위로를 받는다

달은 밝고
달은 나를 보고
격려를 해준다

반짝이는 별들 사이
내가 너를 위로하겠다고
가장 밝게 빛난다
밝게 미소 지어준다

야자 앙상블

야자를 하면
음악이 들린다

연필의 사각거리는 소리
지우개로 지우는 소리
볼펜 딸깍이는 소리
책장 넘기는 소리

모든 소리가 모여
앙상블을 이룬다

누군가의 코 고는 소리부터
옆 친구와 속삭이는 소리
다리 떠는 소리
문 닫는 소리

모든 소음이 모여
앙상블을 이룬다

내 손

침대 위에 누워
내 손을 바라본다

뜯어서 짧은 손톱에
연필 쥔 곳만 생긴 굳은살
얇은 손가락에
작은 손

문득 벽을 바라보니
어릴 적 손도장 액자
눈 앞에 어른거려

손과 손을 맞대며
비교해본다

손 하나로
어떤 삶을 살았는지
알 수 있다는데
난 어떤 삶을 살았을까?

엄마 손은 약손

점심, 저녁에 뭘 잘못 먹었는지
속이 답답하고 더부룩

엄지와 검지 사이 눌러 보지만
해결이 되지 않고

집에 오니 엄마는 등을 눌러주신다
뒤돌아 누우니

어머니는 양 손으로 무게를 실어
내 등을 누르기 시작하셨고
뚜두둑 뚜둑
소리가 난다

엄마 손은 약손하는 소리와
점점 시원해지는 속

역시 엄마 손은 약손이다
나도 언젠가 약손이 되겠지

라일락 향기

야자 끝나고 내려가는 길
은은한 라일락 향기가 난다
아니, 짙은 향기가 풍긴다

비의 냄새와 어우러져
짙은 꽃향기가 느껴진다
봄이 왔음이 느껴진다

나도 저 라일락처럼
기분을 좋게 하는 사람이 되어야지
가만히 있어도
좋은 향을 풍기는 사람이 되어야지

한숨 크게 들이마시며
그렇게 다짐한다

아스팔트

더운 여름 날 달궈진 도로 위를 걸을 때
틈 없는 아스팔트에 숨이 막힌다

도로 위 아스팔트 사이 조그마한 새싹을 볼 때
생명을 죽이는 아스팔트에 미움을 느낀다

아스팔트 위에 떨어지는 비 냄새를 맡을 때
숨와 물의 오염을 느낀다

이젠 잘 찾을 수 없는 흙을 우연히 발견했을 때
우리의 이기심에 사과의 말을 건넨다

우리는 생명의 죽음에 위기를 느낄 것이다
인간은 땅의 죽음에 후회할 것이다

깨진 핸드폰

아
또다
깨졌다
핸드폰이

아
나는
깨지겠네
엄마에게

보험도 안 들어서
수리비용 많이 드는데
깨졌네
수리 비용이

시험 점수도
바닥으로 가라앉았는데
핸드폰도 가라앉았네
내 마음도 착잡하게 가라앉았네

나의 진심을 담아

눈빛만 봐도 알아요
당신의 마음을

바라만 봐도 알아요
당신의 사랑을

난 당신을 생각해요
밥 먹을 때나
공부할 때나
잠 잘 때도

함께 있지 않아도
내 가슴 속에는
당신이 있어요

당신이 있기에 난 행복해요
당신을 사랑해요
나의 진심을 담아 전합니다

부산을 향하여

감사합니다
잊지 않겠습니다

당신으로 인해
우리가 삽니다

살 수 없는 당신의 시간으로
오늘 이 시간을 살아갑니다

11월 11일 11시
부산을 향하여

소리 없는 예쁜 말

소리 없는 예쁜 말
난 그것이 좋다

표정과 몸짓으로
소통하는 말
그것을 배운다

상처 주는 입이 아닌
힘이 되는 손으로

예쁜 말을 보여준다

조금만 배워도
누군가에게 힘이 되는 말
나는 그것을 배운다

나의 글

마음을 담은 글이
청춘이 담긴 이야기들이

언젠가
우리가 어른이 되고
얼굴에 주름이 생길 때

다시 보면 어떤 느낌일까
흑역사가 되진 않을까

파릇파릇했던 내가
아무것도 몰랐던 내가
이 땐 무슨 생각을 했지
어떤 고민을 했지

행복에 겨운 고민거리를
적어낸 글에 귀여워
웃음 짓지는 않을까

나의 이야기를 담은

그때 그 시절

싱그러웠던

나의 젊음을 담은 글

시간의 절벽

내가 가만히 있어도
멈추라해도
흘러가는
야속한 시간은

날 어른라는 절벽으로 내몬다
절벽 밑에 뭐가 있을지 모르지만

실패와 불안이라는
절망의 동굴 속에
날 가둘지도 모르지만

그 시간을 견딜 수 있게
흐르는 시간을 따라
날개짓을 연습한다

언젠가 때가 되었을 때
저 높은 하늘로 날 수 있도록

첫 번째 대화

김리원

글적글적.

책을 써본 일은 이번이 처음이라 방금까지도 머리말을 어떻게 써야 할지 고민했다. 한편으론 내 글은 큰 의미는 없고 겉만 번지르르한 글이 되진 않을까? 머리말을 쓰면서 나에게 아직 남아있는 허세가 드러날 것 같아서 고민이 많이 됐다. 처음에 한 편씩 글을 쓰기 시작했을 때는 보통의 작가들처럼 있어 보이는 글을 적고 싶었다. 그런데 더 이상 있어 보이는 글이 그다지 매력있게 느껴지지 않았다. 그래서 나는 그냥 솔직한 내 이야기를 쓰기로 했다. 평소에 생각이 과하다 싶을 만큼 많은 나는 내 이야기를 쓰면서 더 치유받고 위로받을 수 있었다. 이상하게 마음이 지치는 시기에는 별 거 아닌 것에도 의미부여를 하게 되는데 이런 걸 마음 속에 담고 있기보단 이렇게 기록할 수 있다는 게 기쁘다.

 내 글 중 '내 마음','환불'이라는 글은 내 의도를 파악하는 것보단 독자들이 읽으면서 자신의 이야기를 대입해서 해석해 볼 수 있는 글이 되었으면 좋겠다. 나머지 글들은 혼란스럽고 방황하던 그렇지만 소소한 일상의 의미를 찾아 나가던 17살의 날들, 그 하루하루의 기록이다. 오랜 시간이 지나고 이 글을 펼쳐볼 때 쯤에 나는 좀 부끄럽다고 느낄지도 모르겠다. 그래도 내가 무슨 생각을 했는지 알 수 있도록 꼭 기록해두고 싶다. 이때의 내가 어떻게 성장했는지의 자취로 남았으면 좋겠다. 마찬가지로, 많은 사람들이 공감하는 글이 되기를 바란다. 글 속에 조금씩 숨어있는 자연의 향기를 느낄 수 있다면 더 할 나위 없이 행복할 것 같다!

50m 달리기

50m 달리기를 해야한다.
하기 싫다.
10.5초 이내에 들어와야한다는 생각에
더 부담스럽고 싫다.

드디어 내 차례가 오고
출발선 앞에 섰다.
몸속에서 큰 북을 치기 시작했다.
떨린다.
떨지 않으려고, 뛰기도 전에 숨이 가빠지고 싶지 않
아서
그저 노는 것 뿐이라고, 잠깐 뛰는거라고 생각하며
심호흡을 한다.
그래도 심장소리가 멈추지 않는다.
큰 북소리가 작은 북으로 바뀌기만 한 듯

준비하라는 신호가 들리고
이내 호루라기 소리가 울린다.
뛰기 시작한 순간

호루라기 소리가 북소리를 덮어버린듯
순식간에 떨림이 사라진다.

전혀 두렵지 않다, 떨리지 않는다.
그저 하늘을 나는 새처럼
자유롭고 행복한 기분이다.
바람소리, 미지근한 공기
이 모든게 좋다.
오늘은 거의 바람이 불지도 않는데
내가 뛰기 시작한 순간 바람이 분다.

결과도 만족스럽다.
그렇다고 아주 좋진 않지만
결과 따윈 필요 없을만큼
이 순간의 느낌은 잊히지 않을 것 같다.

자세히 보아야 예쁘다

예전에는 "자세히 보아야 예쁘다"
라는 말이 정말 이해가 안갔다.

자세히봐도 별로인 사람은 별로고
언뜻봐도 예쁜 사람은 예쁜줄 알았다.
그리고 나도 자세히 보려는 노력을 하지 않았다.

그런데 요즘 이 말을 정말 깊이 이해하고 있다.
누구든 얼굴이 못난 사람은 없는 것 같다.
나도 그렇고 친구들도 그렇고
자신의 외모에 자신이 없는 사람이 많을 거 같다.

하지만 친구들과 눈을 맞추고, 함께 웃고, 얘기하고,
또 함께 찍은 사진을 보거나 조용히 지켜보다 보면
한 명 한 명이 모두 개성이 넘치고 매력이 있고 예뻐
보인다.

자세히 보면 못난 게 없는 것 같다.
나 조차도, 그리고 이 세상 누구도.

노래

노래는 노래 그 자체로도 좋지만
그 노래를 처음 들었을 때의 감정
함께 들었던 사람
언젠가 느낀 노래를 들을 때의 공기와 분위기

이런 것들이 떠올라서 더 좋은 것 같다.

행복한 감정이 드는 노래
왠지 모르는 슬픈 감정이 드는 노래
당장이라도 춤추고 싶은 노래
이런 나만의 테마도 생긴다.

그리고 이 테마가 계속 바뀐다는 것도
노래의 매력적인 부분 중 하나이다.

나만 아는 노래인 줄 알았는데
다른 사람이 노래 소개하는 것을 볼때,
예상치 못한 곳에서
내가 좋아하는 노래가 들릴 때,

이럴 때마다
그 노래에 대한 내 생각과 감정이 바뀐다.
그리고 노래에 대한
나의 기억과 경험과 추억이 더해진다.

노래가 없는 세상은 상상도 안 될 만큼
노래는 내 삶의 낙이고
맛있는 음식이고
신선한 공기와 같다.

노래가 있어서
이 세상이 더 다채롭게 빛난다.

음량을 조절할 수 없는 것들

내 마음대로 소리를 키우거나 줄일 수 없는 것들.
그런 것들이 좋다.

소복소복 내리는 빗소리가 좋다.
억수처럼 솟아붓는 빗소리가
내려앉을 듯 호통치는 천둥소리가 좋다.
귓가를 간지럽히는 바람 소리가 좋다.
졸졸 흐르는 계곡의 물소리가 좋다.

봄밤, 창밖에서 울어대는 개구리 소리가 좋다.
여름날, 듣기 싫을 만큼 맴맴대는 매미 소리가 좋다.
가을밤, 고요히 들려오는 풀벌레 소리가 좋다.
겨울 아침, 차가운 새벽 아침을 여는 새소리가 좋다.

내가 원하는 대로 소리를 키우거나 줄일 수 없는
이런 것들이 좋다.

내 마음

내 방이 내 마음 속과 같다면
내 마음을 만질 수 있다면

저기 저 하얀 무언가엔
알록달록
지저분
뒤죽박죽

여기 이 하얀 무언가엔
꾸깃꾸깃
새하얀
어수선한

저기 저 굳건한 무언가엔
아른아른
즐거운
사랑스러운

첫 번째 대화

처음 보는 사람과 말을 한다는 건, 꽤 낭만적인 일
같다.
요즘 세상에 위험한 일도 많다 하지만,
누군지도 모르는 사람과 잠깐의 대화는
무언가 독특한 에너지를 불어 넣어준다.
누군가 길을 물어보거나, 내가 길을 물어보는 거 처
럼
어쩌다 모르는 사람과 좋은 말이 오고 가는 대화를
한다는 건
잠깐 스쳐 가는 바람처럼 산뜻하고
하루를 시작하며 맡는 새벽공기와 같이 상쾌한 느낌
을 준다.

잘못 맞춰진 시계야

엇나가지 않으려고 그렇게 숨 가쁘게 뛰는거야?

뒤처지지 않으려고 일 초 일 초 애를 쓰고
있는거야?

그냥 너가 안쓰러워서

너보다 앞서가는 다른 시계들을 보며

너는 어떨까? 괜찮을까?

그래서 그냥 말 걸어봤어.

입김

입김의 계절은 시나브로 찾아왔다.
문 밖으로 내딛으면서 뱉은 숨에
가장 따뜻한 입김이 일고
한 발 한 발 내딛을 수록
입김의 온도는 조금씩 식어간다.
식어가는 그 입김이 아까워서
입으로 내뱉는 숨을 막아보고
그렇게 참고나서 뱉는 숨은
더 진한 하얀 빛.
그 더 진한 하얀 빛이 좋아서
한번 더 헙!

후

.

.

.

저 노란 페인트도 닳겠지

밟히고 밟혀서 닳아버리겠지.
그냥 누군가의 기억 속에 티끌처럼 남아있을 거야.
다들 바쁘게 살면서 눈길 한 번 안 주는 곳이지만
그래서 더 눈에 밟히고
한번 더 쳐다보게 되고.
코를 찌르는 페인트 냄새에 인상을 찡그려도.
선명하게 칠해진 오늘로부터
얼마나. 얼마나 오래. 이 자리에 남아있을까.
사라진 것들. 사라져 가는 것들. 사라질 것들.
마음 속에 남아 다시 스멀스멀 떠오를 때쯤엔
이 자리엔 무엇이 남아있을까.
사라진 것이 된 날, 사라질 것이 된 날을 떠올려보고
싶다.

환불

환불해 주세요.
맘 같아선 전액 환불 받고 싶지만
그건 절대 불가능이겠죠.
아깝지만 어쩌겠어요.
내가 원해서 샀던 건데.
그저 아직 서툴렀던 나의
귀여운 실수로 봐주세요.
다음번엔 좀 더 신중해 볼게요.

위로

위로의 말은 시간이 갈수록 더 하기 힘들어졌다. 내 옆에 정말 힘들어하는 친구가 있었다. 그 친구는 나를 믿어줬다. 서슴없이 고민을 털어 놓아줬다. 누군가에게 기댈 수 있는 사람이 된다는 게 행복했지만 부담스러워졌을 때가 있었다.

하루는 "괜찮을 거야. 학교에 있는 일이 힘들면 좋아하는 일을 찾아서 학교에서 해보는 건 어떨까?"라는 조언을 건넸다.

부끄럽게도 나는 나의 그 조언이 꽤나 멋있었다고 뿌듯해했다.

그런데 정말 굴곡진 삶을 견뎌온 사람이라면 그런 말을 섣불리 할 수 있었을까?

내가 힘들어 보니 알겠더라. 그런 말이 전혀 힘이 되지 않더라.

그래서 미안했다. 내 말을 들은 그 친구는 속으로 얼마나 더 힘들었을까. 그렇다면 주변의 힘들어하는 사람에겐 어떤 말을 건네야 하지? 딱히 그럴만한 말이 떠오르지 않았다. 그 이후론 위로의 말을 하는 일에 소극적이여 졌다. 아무 말 없이 들어주기만 했다.

최근에 입원한 친구와 문자를 한 적이 있었다. 그 친구의 인스타그램을 보고 병원에 무슨 일로 갔냐고 내가 먼저 말을 꺼냈다. 근데 내가 먼저 물어봐 놓고도 정작 귀가 아파서 입원했다는 친구의 말에 "괜찮아?", "빨리 나아." 같은 말을 하지 않았다. 전혀 도움이 되지 않는 말이니까. 그렇게 심각한 일이 아닌데 진심도 아닌 말을 꺼냈다가 서로 감정 소모만 할까 봐.

누군가에겐 좀 차갑게 느껴질진 모르겠지만 나는 그런 것 같다. 어쩌면 저 상황에서 나는 형식적으로라도 "어떡해.. 빨리 나아"와 같은 말을 해야 했을지도..

내가 진심 어린 위로를, 상대에게 위로다운 위로를 건넬 수 있을 때쯤이면 내가 나를 위로할 수 있을 때가 될 것 같다. 그리고 내가 진정으로 그 사람을 알게 될 때. 아직 나는 나 하나도 잘 위로하지 못하고 그 사람의 모든 걸 알지 못하니까. 내가 나를 다독일 수 있고, 나아가 주변 사람을 다독일 수 있는 사람이 될 때까지 위로의 말은 좀 더 마음속에 좀 더 담아두기로.

약속

요즘들어 지키지 못한 약속들이 많이 생각난다.
다음에 한 번 찾아가겠다.
밥 한끼 사겠다.
다시 만나자, 또 연락하자.
이런 것들..
때로는 이런 말들이 인사 치레에 불과하지만
어떤 게 단지 인사였고, 어떤 게 진심일지도 모르겠다.
인사였다 생각하면 기억하지 못할 말
지키지 못해 차라리 다행이다 생각하는데
진심이었다 생각하면 나는 거짓말쟁이가 된거다.
그 사람들이 어떻게 생각할지 잘 모르겠다.

내 많은 사람 곁에 있어 고맙다고

같이 있으면 마음이 따뜻해지는 너희가 좋아.
이렇게 영양가 있는 대화를 해본 친구는 너희가 처음
이야.
나중에 같이 어디 가자, 이거 하자.
너희랑 같이 있으면 함께하는 미래를 기대하게 돼.
그런데 걱정이 하나 생겼어.
너무 멋진 너희만큼 내가 멋지지 못 할까봐.
내가 너희들의 밝은 기운을 잃어버리게 할까봐.
걱정이 많아진 요즘이야.
때로는 너희가 나한테서 멀어졌으면 좋겠어.
일부러 못본 척 피했을 때도 있었어.
너희를 잃고 싶은 마음은 아니야.
계속 함께 하고 싶은 건 분명해.
남한테 너무 기대는 내 성격이 너희에게 부담을 줄까
봐 그래서 그랬어.
내가 더 노력할게, 너희와 함께 할 만큼 멋진 사람이
되기 위해서
꼭 저 먼 미래 나의 삶에 너희가 있었으면 좋겠어.
그때는 훨씬 더 가까워져 있길!

널린 게 고민인데 책 제목도 고민이야

발　행 | 2024년 01월 18일
저　자 | 서민하, 서예은, 김리원
펴낸이 | 한건희
펴낸곳 | 주식회사 부크크
출판사등록 | 2014.07.15.(제2014-16호)
주　소 | 서울특별시 금천구 가산디지털1로 119 SK트윈타워 A동 305호
전　화 | 1670-8316
이메일 | info@bookk.co.kr

ISBN | 979-11-410-6739-7

학교안심 분필 R, 박윤정앤타이포랩, 공유마당, OFL